GW00391770

Gilbert **Delahaye** ◆ Marcel **Marlier**

martine

monte à cheval

casterman

• Découvre les personnages de cette histoire •

Martine

Joyeuse et curieuse, Martine adore s'amuser avec ses amis et son petit chien Patapouf. Ensemble, ils découvrent

le monde et vivent de véritables aventures. Une chose est sûre : avec Martine, on ne s'ennuie jamais !

Oncle François

L'oncle de Martine a mille passions : la nature, le bateau, les chevaux… Il possède même son propre club d'équitation !

Bastien

Le fils aîné d'oncle François est moniteur d'équitation. Comme son père, il adore les chevaux !

Patapouf

Ce petit chien est un vrai clown ! Il fait parfois des bêtises… mais il est si mignon que Martine lui pardonne toujours !

Martine et Paul passent les vacances chez leur oncle François.

Ils vont apprendre à monter à cheval dans son club d'équitation.

– J'aime les chevaux depuis toujours. Voici mon meilleur ami d'enfance, explique-t-il. Il s'appelait Mustang.

– Comme il est majestueux… s'écrie Martine.

Même Patapouf est impressionné !

Martine veut d'abord apprendre comment vivent les chevaux.

Son cousin Bastien lui fait visiter le club.

– Ce bâtiment, c'est la sellerie, dit-il. L'endroit où on range les selles.

– Salut, toi ! s'écrie Martine en caressant le grand lévrier qui se tient à l'entrée.

– Jack est notre chien de garde, explique Bastien. En réalité, il ne ferait pas de mal à une mouche…

Dans la première écurie, Martine découvre deux superbes étalons.

– Le brun, c'est Vulcain, annonce Bastien. Et le gris, Cyclope.

Martine tend la main, et Vulcain se laisse caresser. Ses naseaux sont doux comme du velours. Cyclope, en revanche, tape du pied et hennit.

– Il n'aime pas qu'on l'approche, précise Bastien. Il est plus jeune donc plus sauvage.

– Qu'est-ce qu'il y a dans ce box ? demande Martine.

– Pénélope, notre jument. Elle attend son premier poulain.

– Je peux la voir ?

– Non, elle est trop fatiguée, il ne faut pas la déranger. Mais, tu la salueras quand son petit sera né, promis !

– Une montagne de foin ! s'exclame Martine en entrant dans la grange.

– Avec les céréales, c'est la nourriture préférée des chevaux. On apporte tous les jours une nouvelle botte dans leur box, ainsi que de la paille fraîche. Tu veux t'en occuper ?

– Bonne idée ! En voyant que je le soigne, Cyclope se laissera peut-être apprivoiser… ?

Pendant que Martine transporte la paille, Patapouf rencontre un drôle de petit cheval. Sa crinière est épaisse et ses jambes très courtes.

– C'est un poney, explique Martine. Oncle François en a plusieurs : les enfants adorent les monter !

Clang ! Clang ! Clang !

C'est quoi, ce bruit ? Le maréchal-ferrant, bien sûr ! Son métier, c'est de poser des fers sous les sabots des chevaux.

– Ça ne leur fait pas mal ? demande la fillette en voyant la fumée qui s'échappe du fer brûlant.

– Les animaux ne sentent rien sous la corne. Au contraire, les fers protègent leurs pieds. Un peu comme des semelles !

– Je peux monter à cheval, maintenant ? demande Martine.

– Justement, je viens de seller Pâquerette, répond Bastien.

– Elle est immense ! remarque sa cousine, un peu impressionnée.

– N'empêche que c'est la jument la plus douce du club.

Avec elle, tu ne risques rien.

Bastien montre à Martine comment monter en selle.

– Glisse d'abord ton pied gauche dans l'étrier, puis hisse-toi et, hop !

Balance ta jambe droite de l'autre côté !

La fillette essaye une fois… deux fois… la troisième est la bonne !

Pour son premier cours, oncle François a offert à Martine une belle veste d'équitation.

C'est Bastien qui mène la leçon. Il tient Pâquerette au bout d'une longe. Après quelques tours de piste au pas, il lance :

– Bravo, Martine, tu te débrouilles très bien ! Maintenant, on passe au trot !

Martine fait des progrès de jour en jour. Elle est très douée.

Elle et Pâquerette sont devenues inséparables. Tous les matins, la jument l'attend à la barrière et l'accueille en agitant la tête.

Martine la salue en lui faisant des caresses.

– Et voici une carotte. Pour te récompenser de ta douceur…

Martine est de plus en plus à l'aise à cheval.

Elle apprécie les leçons en manège, mais ce qu'elle préfère, c'est se promener à travers la campagne. Même au grand galop, elle n'a plus peur !

– Écartez-vous, les lapins ! crie-t-elle. Pâquerette va si vite…
On ne veut pas vous faire du mal !

La fillette et sa monture s'arrêtent au bord du ruisseau.

– Rafraîchis-toi, dit Martine en descendant de selle. Tu l'as bien mérité !

Pendant que la jument boit l'eau fraîche, Patapouf et Jack font la course.

– Plus vite, Patapouf ! l'encourage Martine. Tu peux gagner !

Aujourd'hui, c'est un grand jour : Martine va participer au concours d'équitation du village. Elle espère remporter le premier prix.

D'abord, il faut panser Pâquerette avec une brosse et un chiffon.

– Une vraie jument de compétition ! se réjouit Martine en admirant la robe brillante de l'animal.

Le tournoi a commencé.

Martine se concentre et fixe l'obstacle…

Pâquerette galope de plus en plus vite…

– Saute ! l'encourage la fillette en se dressant sur ses étriers.

La jument s'élève dans les airs et atterrit de l'autre côté de la barrière.

– Bravo ! hurle le public en applaudissant à tout rompre.

Les concurrents sont tous excellents, mais le saut de Pâquerette est le plus réussi.

– Martine, je te remets le trophée ! annonce le maire.

– Merci, je suis si contente ! répond la fillette.

Un photographe accourt pour immortaliser cet instant.

– Martine ! appelle oncle François. Viens poser près du public !
La photo paraîtra demain dans le journal.

– Il faut que Pâquerette soit en gros plan, suggère fièrement Martine.
La vraie championne, c'est elle !

Retrouve martine dans d'autres aventures !

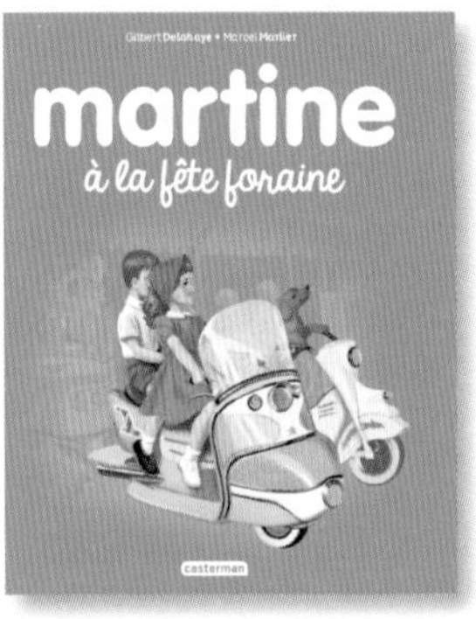

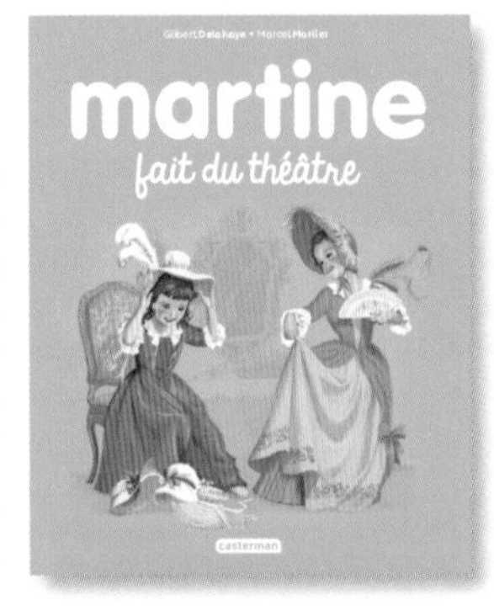

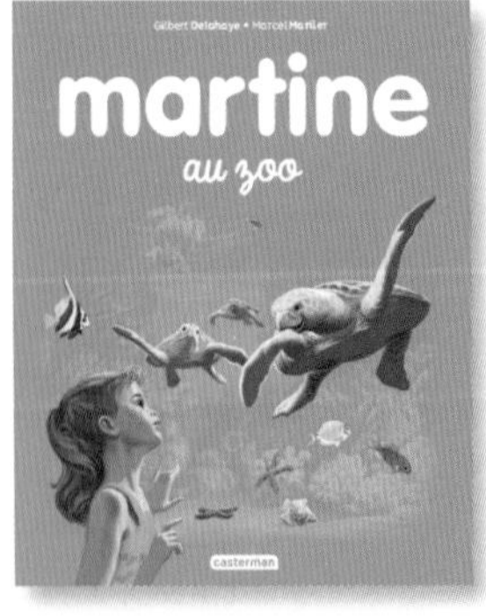

martine
au parc

martine
garde son petit frère

martine
fête son anniversaire

martine
jardine

martine
fait du vélo

martine
petit rat de l'opéra

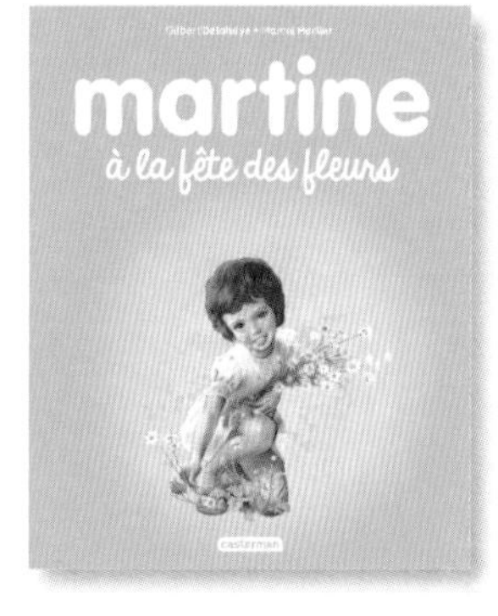
martine
à la fête des fleurs

martine
fait la cuisine

martine
apprend à nager

martine
est malade

martine
en vacances

martine
prend le train

martine
fait de la voile

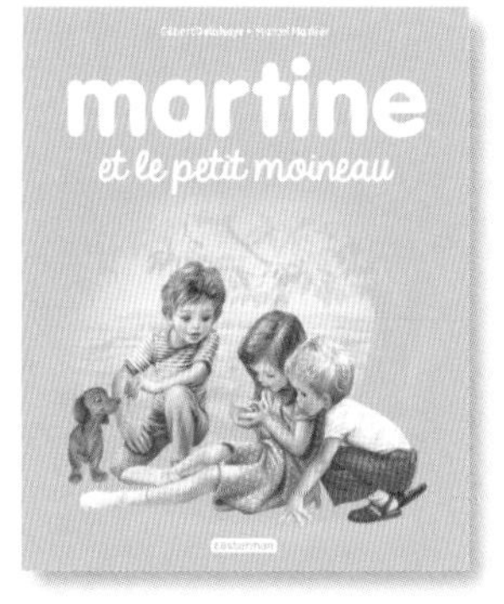
martine
et le petit moineau

martine
et le petit âne

martine
fête maman

martine
en montgolfière

martine
à l'école

martine
découvre la musique

martine
a perdu son chien

martine
dans la forêt

martine
et le cadeau
d'anniversaire

martine
et la sorcière

martine
un mercredi
pas comme les autres

martine
la nuit de Noël

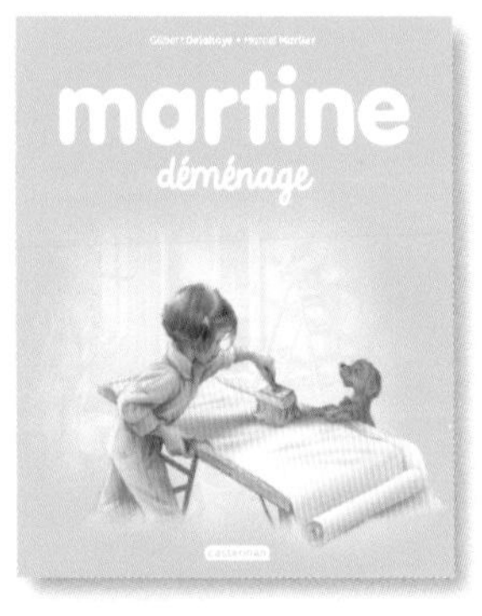
martine
déménage

martine
se déguise

martine

martine
et les lapins
du jardin

martine
à l'hôpital

martine
baby-sitter

martine
en classe de découverte

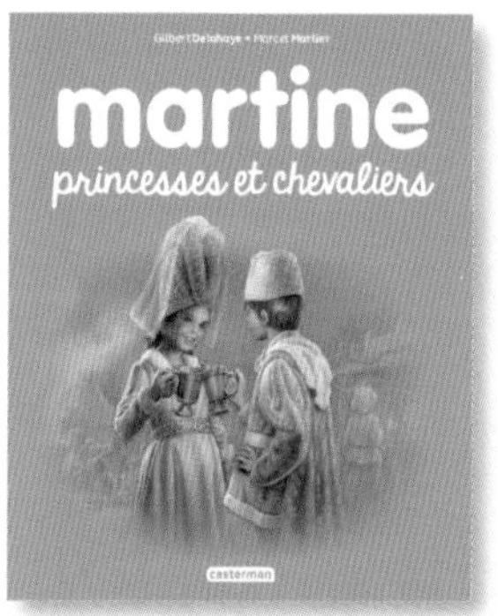

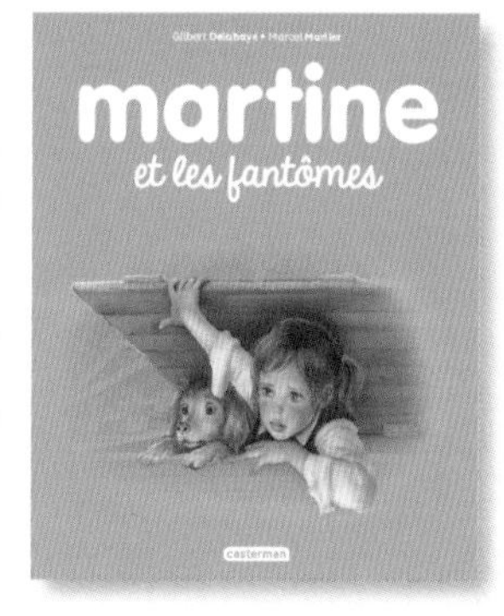

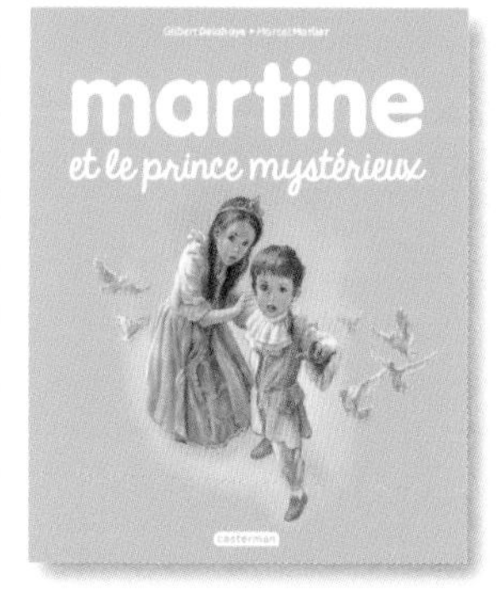

Casterman
Cantersteen 47
1000 Bruxelles

www.casterman.com

ISBN : 978-2-203-10689-5
N° d'édition : L.10EJCN000501.C003

D'après les albums de Gilbert Delahaye et Marcel Marlier.
Achevé d'imprimer en mars 2018, en Italie.
Dépôt légal : juin 2016 ; D.2016/0053/147
Déposé au ministère de la Justice, Paris (loi n°49.956
du 16 juillet 1949 sur les publications destinées à la jeunesse).